- La bambina in rosso appare a scuola dopo le lezioni.

- La bambina in rosso appare di fronte a uno studente quando rimane da solo.

- Chi vede la bambina in rosso, non deve assolutamente voltarsi finché non esce dal cancello della scuola.

- Chi lo fa, viene diviso in otto pezzi e nascosto nell'edificio scolastico.

- Lo studente ucciso dalla bambina in rosso, il giorno dopo compare davanti a tutti e chiede di cercare il suo corpo.

- Non ci si può rifiutare di cercare il corpo.

- La bambina in rosso compare anche durante la ricerca.

- La ricerca non termina finché il corpo non viene trovato.

- Anche se durante la ricerca perdi la vita, non muori.

RE/MEMBER
karadasagashi

2   [STORY] **WELZARD**
    [ART] **KATSUTOSHI MURASE**

PLANIMETRIA DEL LICEO OUMA

Ouma high school building map

MAPPA GENERALE

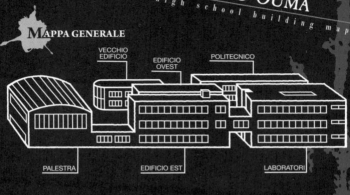

VECCHIO EDIFICIO
EDIFICIO OVEST
POLITECNICO

PALESTRA
EDIFICIO EST
LABORATORI

1st FLOOR

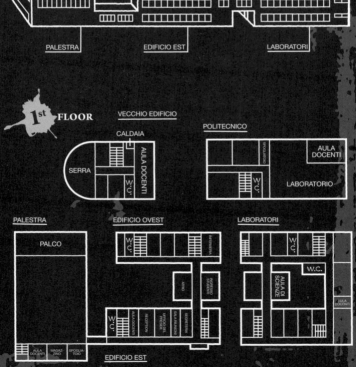

VECCHIO EDIFICIO

CALDAIA

SERRA
AULA DOCENTI
W.C.

POLITECNICO

SPOGLIATOIO
AULA DOCENTI
W.C.
LABORATORIO

PALESTRA

PALCO

AULA DOCENTI
MAGAZZINO
SPOGLIATOIO

EDIFICIO OVEST

W.C.
INFERMERIA
ATRIO
INGRESSO STUDENTI
AULA DOCENTI
RECEPTION
UFFICIO DEL PRESIDE
SALA RIUNIONI
SEGRETERIA

EDIFICIO EST

LABORATORI

W.C.
W.C.
AULA DI SCIENZE
AULA DOCENTI

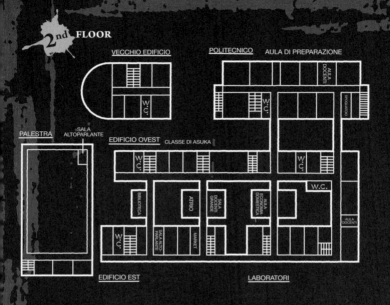

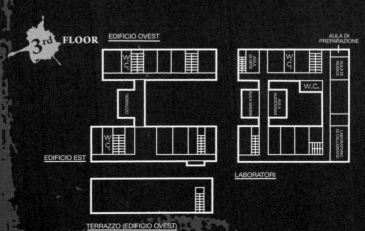

TAKAHIRO

ASUKA

SHOTA

RUMIKO

KENJI

RIE

La bambina in rosso

LA BAMBINA IN ROSSO

Haruka

HARUKA

NELLE PUNTATE PRECEDENTI DI RE/MEMBER

Per rispettare le regole, i ragazzi hanno capito che devono cercare il corpo di Haruka, diviso in otto pezzi, e riporlo dentro una bara. Il tutto senza farsi uccidere dalla *bambina in rosso*. Tuttavia, i misteri da chiarire sono ancora tanti...

I PEZZI TROVATI DEL CORPO DI HARUKA

1 braccio (destro)

RIASSUNTO   S T O R Y

Un giorno, Haruka chiede ad Asuka e ad altri cinque compagni di classe di cercare il suo corpo. Visto che è impossibile scappare, decidono di partecipare tutti alla ricerca. Anche se il secondo giorno Takahiro trova il braccio destro di Haruka nell'ufficio del preside, portando una scintilla di speranza in questa impresa disperata, il fatto che Shota abbia tradito Kenji e Rie incrina il legame tra i sei...

RE/MEMBER
karada sagashi

C O N T 2 E N T S

CAPITOLO 8   TERZO GIORNO – 2

SUL SERIO... L'HAI UCCISA?

TUM

ANF

ANF

SE ASPETTIAMO, SAPREMO SE L'HA UCCISA O...

!

MAH... FRA POCO SARÀ L'UNA E HARUKA VERRÀ A CHIEDERCI DI CERCARE IL CORPO...

EHI, RAGAZZI...

ZAAAN

!

SBAM

CI HAI DETTO UNA CAZ- ZATA!

EH? NON È POSSI- BILE!

BRUT- TO...

CHE SUC- CE- DE?

AH?! DI CHE PARLI?

QUEL- LA NON È LA HARUKA CHE CO- NOSCIA- MO!

NON CREDO CHE SHOTA ABBIA MENTI- TO...

NON L'AVETE VISTA DURANTE LE LE- ZIONI?!

TA- KAHI- RO!

HAI VISTO LA SUA FACCIA, NO?! E IL COLLO!

L'HO... L'HO UC- CISA SUL SERIO!

... HA GIRATO COMPLE-TAMENTE LA TESTA E MI HA FISSA-TA!

AN-CHE SE IL CORPO ERA RIVOL-TO VERSO LA LAVA-GNA...

NESSUNO SI ERA AC-CORTO DEL-L'ASPETTO STRANO CHE AVEVA HARUKA DURANTE LE LEZIONI.

ALLA FINE, TOR-NAMMO A CASA DECI-DENDO CHE NON AVREM-MO PER-DONATO SHOTA...

INOLTRE, QUEGLI OCCHI CHE MI AVEVANO GUARDATO DAI SUOI CAPELLI MI AVEVANO FATTO COSÌ PAURA CHE NON NE VOLLI PARLARE.

... FIN- CHÉ NON AVESSE UCCISO HARUKA.

COS'HAI, TAKA- HIRO?

?

...

ANCHE SE TORNO A CASA, I MIEI FANNO IL TURNO DI NOT- TE... QUINDI MI STAVO CHIEDEN- DO CHE FARE A CENA...

VUOI VENIRE DA ME?

AH, SÌ?

AH?

PERCHÉ SEI COSÌ AGITATO? UN TEMPO VENIVI SPESSO QUI, NO?

EH! EH!

BE'... ERAVAMO ALLE ELEMENTARI, NO?

HARUKA? TORNERÀ A VIVERE?

NOI POTREMMO CAVARCELA, MA...

A PROPOSITO, MI CHIEDO CHE SUCCEDERÀ QUANDO FINIRÀ LA RICERCA DEL CORPO...

IO NON SO NIENTE DI QUESTA CAVOLO DI RICERCA...

COSA SUCCEDE QUANDO FINISCE?

IN EFFETTI...

!

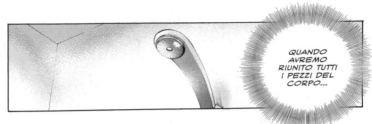

QUANDO AVREMO RIUNITO TUTTI I PEZZI DEL CORPO...

... SE QUALCUNO MUORE, RI-MARRÀ MOR-TO ANCHE IL GIORNO DOPO?

ANCORA NON AVEVO PENSATO A CIÒ CHE SUCCE-DERÀ...

SE ACCA-DESSE QUELLO CHE HA DETTO LUI...!

EHI, TAKAHI-RO...

ZGH CLANK

!

VISTO CHE C'È LUI QUI, ANDRÀ BENE METTER-SI LA DIVISA...

AN-CHE SE QUELLO CHE HA DETTO TAKAHIRO FOSSE GIUSTO...

NON SOLO STA DORMENDO NEL LETTO DI QUALCUN ALTRO... LO FA IN QUELLO DI UNA DONNA!

どー〜ん
DAAAN

RONF! RONF!

...

IL TUO LETTO... HA PROPRIO UN BUON ODORE! STAVO TANTO BENE E MI SONO ADDORMENTATO SUBITO...

TI HO DETTO DI NON DORMIRE!

TAKAHIRO! MA CHE HAI DA DORMIRE?!

ばしっ
SLAP

VUOI CHE MI SVEGLI?

CHE PALLE... CHE C'È?

COME, "CHE C'È"? COSA FACCIAMO STANOTTE?!

QUESTO È IL MIO LETTO!

MMH... ASUKA? ANCORA NON È ORA... FAMMI RIPOSARE...

NON DARLO PER SCONTATO...

SENZA SHOTA, NON SIAMO IN GRADO DI IDEARE UNA STRATEGIA, NO?!

EH? COSA...

PERÒ...

PI PI

CI SIAMO.

CON QUESTA STRATEGIA...

...

ZAN

ZAN

EHI, RIE, KENJI.

NON POTETE ANCORA PERDONARE SHOTA?

DA.... DAV-VE-RO?

SHO-TA!

RIE E KENJI HANNO DETTO CHE TI PERDO-NANO!

SÌ, A UNA CONDI-ZIONE.

....

... E SCAP-PERAI FINCHÉ NON MO-RIRAI.

NELLA RICERCA DI STANOT-TE, DEVI ATTIRARE LA BAMBINA IN ROSSO...

L'HAI DETTO TU STESSO. ANCHE SE MUORI, DO-MANI TOR-NERAI A VIVERE, NO?

"SE TU MI DICI COSÌ, IO POSSO ANCHE NON FARLO, MA..."

"... SONO LORO DUE CHE DE-CIDONO, NO?"

"QUESTA NON È LA STESSA COSA CHE SHOTA HA FATTO A LORO DUE!"

ゴ
DON
DON
ゴ

ゴ
DOOON

... È IMPOS-SIBILE CERCARE IL CORPO COLLABO-RANDO...

CO-SÌ...

LA BARA DI CUI VI PARLAVO "IERI" È NELL'A-TRIO.

VE-NITE.

NON HAI UN BEL COLORITO, STAI BENE?

KENJI?

AH... SÌ, È SOLO CHE QUEL COSO MI FA SENSO.

ASUKA, STAI BENE?

SÌ... QUALCHE VOLTA MI GIRA LA TESTA, MA STO BENE...

ADESSO CHE SONO COSTRETTO A FARE UNA COSA DEL GENERE, ANCHE IL MIO FISICO NE RISENTE...

KRRR KRRR

COMUNQUE, I PEZZI DA CERCARE SONO TANTI. CREDO CHE POSSIAMO ANDARE A VEDERE NELL'AULA DI SCIENZE O IN QUELLA DI PRATICA...

MI SEMBRA MOLTO PIÙ ESAUSTO RISPETTO A OGGI A SCUOLA...

"DEVI ATTIRARE LA BAMBINA IN ROSSO."

ANF

ANF

TUM TUM TUM

SI PREGA DI FARE ATTENZIONE.

LA BAMBINA IN ROSSO È APPARSA AL PRIMO PIANO DELL'EDIFICIO OVEST.

...

!

DASH

UGH...

SU... VAI, SBRIGATI.

SHO-TA...

GULP

!

◆ LA RICERCA NON TERMINA FINCHÉ
IL CORPO NON VIENE TROVATO.

CAPITOLO 9
TERZO GIORNO - 3

CAPITOLO 9 TERZO GIORNO – ③

HO PAURA...

ALLORA, ANDIAMO NELLA SALA RIUNIONI CHE È QUI ACCANTO?

ANCHE SE SAREBBE MEGLIO CHE QUELLO MORISSE!

SPERO DI NON ESSERE MAI IO IL BERSAGLIO DEL SUO ATTACCO...

SÌ...

KRRRR

!

LA BAMBINA IN ROSSO È APPARSA AL PRIMO PIANO DELL'EDIFICIO EST.

EH?!

SALA RIUNIO-NI...

BENE, COMINCIAMO A CERCARE?

◆ LA BAMBINA IN ROSSO COMPARE
ANCHE DURANTE LA RICERCA.

CLANK
ガチャ

DASH

DI QUA!

PROPRIO COME L'ALTRA VOLTA...

CI STA GIRANDO INTORNO.

RUMI-KO!

NO, OGGI NON SONO SOLA!

DAN

!

TUM

L'AB-
BIAMO
FATTA
ARRAB-
BIARE?

TUM

TUM

AAAAAHHHH!

E... E
ADES-
SO?! HAI
QUAL-
CHE
IDEA?!

ORMAI
NON
POSSIA-
MO PIÙ
VOLTAR-
CI!

NO...
COMUN-
QUE, AN-
DIAMO AL
SECONDO
PIANO!

!

SE
SCAP-
PIAMO E
BASTA,
PRIMA O
POI SA-
REMO CO-
MUNQUE
UCCISE,
NO?! QUIN-
DI...

HAI
RA-
GIO-
NE! PE-
RÒ...

AL
SECON-
DO PIANO
TUTTI GLI
EDIFICI
SONO
COMUNI-
CANTI E
NON CI
SONO
VICOLI
CIECHI!

ALLORA, IO ANDRÒ VERSO L'EDIFICIO DEI LABORATORI!

VA BENE!

... AL SECONDO PIANO CI DIVIDIAMO!

RUMIKO...

SÌ.

CHIUNQUE DECIDA DI INSEGUIRE...

... SENZA RANCORI!

HO PAURA CHE LÌ CI SIANO...

DI QUESTO PASSO, DOVRÒ SCENDERE AL PRIMO PIANO DEI LABORATORI, VERSO L'AULA DI SCIENZE...

SECONDO PIANO

AULA DOCENTI

W. C.

W. C.

LABORATORI

AULA ECONOMIA DOMESTICA

SALA DOCENTI GRANDE

EDIFICIO OVEST

CLASSE DI ASUKA

ATRIO

MARKET

EDIFICIO EST

SALA ALTO-PARLANTE

W. C.

BIBLIOTECA

W. C.

DASH

◆ CHI SI VOLTA, VIENE DIVISO
IN OTTO PEZZI E NASCOSTO
NELL'EDIFICIO SCOLASTICO.

CAPITOLO 11 TERZO GIORNO - 5

MA...

... QUANTI CHILI SA-RANNO?!

AAAAAAH!

!

SALIRE LE SCA-LE CON QUESTO COSO...

ANF

ANF

RIE...

... NON POSSO MORIRE QUI!

MARIKO, HO TROVATO UN PEZZO DEL CORPO! VADO NELL'ATRIO!

È ANCORA DISTANTE...

VA... VA BENE!

TAP

TAP

!

PERÒ... DOVREI FARCE-LA...

DASH

LO SAPEVO, PRIMA L'ABBIA-MO FATTA ARRAB-BIARE!

COSA? COS'ERA QUELL'E-SPRES-SIONE?!

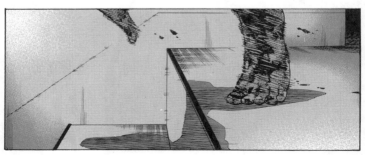

... AD ARRI-
VARE
ALL'A-
TRIO!

KYAH!

SDONK

?!

BAM

MI HA RAG-GIUN-TA?!

È SAL-TATA GIÙ DALLE SCALE!

COME ?!

MO-RIRÒ.

UN VESTITO ROSSO VORREI...

ASUKA NON ARRI-VA... COSA SARÀ SUC-CESSO?

!

NO, NO, DI ROSSO LO TIN-GEREI...

KYAH! AH! AH!

COSÌ È FINITO IL TERZO GIORNO DELLA RICERCA DEL CORPO.

◆ ANCHE SE DURANTE LA RICERCA
PERDI LA VITA, NON MUORI.

CON LA NOSTRA TERZA RICERCA, RIUSCIMMO A TROVARE UN PEZZO DEL CORPO, MA...

... IN UN CERTO SENSO, FU LA PIÙ DEVASTANTE DI TUTTE, FINO AD ALLORA.

AL NOSTRO QUARTO "IERI", RIE MI RACCONTÒ DI COME KENJI...

... SI FOSSE VOLTATO SENZA PENSARCI QUANDO AVEVA TROVATO IL CORPO E DI COME FOSSERO STATI UCCISI TUTTI.

... NON VOLEVO VEDERE COME I MIEI COMPAGNI DI CLASSE SI SAREBBERO FERITI A VICENDA.

NON VOLEVO ANDARE A SCUOLA. SOPRATTUTTO PERCHÉ...

CAPITOLO 12 QUARTO GIORNO - 1

SBAM

COSA CAZ-ZO HAI FATTO, KENJI?!

CAPITOLO 12 –QUARTO GIORNO – 1

SARESTI POTUTO SCAPPARE! NON DARE LA COLPA AGLI ALTRI, SE SEI MORTO!

TA-KAHI-RO!

SONO MORTO PERCHÉ TU HAI VISTO LA BAMBINA IN ROSSO E POI TI SEI VOLTATO!

DONK

ANCHE TU, SHOTA! SE NON FOSSI SCAPPATO DOVE SIAMO PASSATI NOI...

... QUESTO NON SAREBBE SUCCESSO!

IO HO FATTO DA ESCA, COME VI AVEVO PROMESSO. CHE NE SAPEVO CHE AVRESTE FATTO UN ERRORE COSÌ CRETINO?!

E ALLORA ME LO AVRESTI DOVUTO DIRE PRIMA, DI NON ANDARCI!

SEI TU CHE HAI ORGANIZZATO IL PIANO, TAKAHIRO!

FACCIANO QUELLO CHE GLI PARE!

NON PUOI FERMARLI, RUMIKO?

CHE CAZZO HAI DETTO?!

SHOTA? COME SEI INGENUA, RIE.

E SHOTA SI È DATO DA FARE, A RISCHIO DELLA PROPRIA VITA.

MA KENJI ERA SOLO FELICE DI AVER TROVATO IL CORPO, NON L'HA FATTO APPOSTA.

"... MI SA CHE SONO MORTI!".

QUANDO CI HAI DETTO "QUEI TRE CHE SONO ANDATI AI LABORATORI..."

EH, SHOTA? TU HAI RISO, NO?

... DELLA NOSTRA MORTE.

HAI RISO...

SBAM

BRUTTO STRONZO!

ALLORA È COSÌ...

VA TUTTO BENE, RIE.

PERCHÉ LO HA DETTO?

EP-
PURE,
ANCHE
TU HAI
RISO!..

ASUKA
HA POR-
TATO IL
CORPO
FINO ALLA
BARA.

PERÒ, NON
RIESCO A
DIRLO, NON
TI VOGLIO...

GIO-
CO DI
SQUA-
DRA!

S...
SÌ.

IO,
INVECE,
HO ATTI-
RATO LA
BAMBINA
IN ROS-
SO, VERO,
ASUKA?

NON
VOGLIO
CHE CI
DIVIDIAMO
ANCORA
DI PIÙ.

ALLA
FINE...

MA NO,
È STATO
GRAZIE A
VOI TRE
CHE LO
AVETE
TROVA-
TO.

SU, SU!

GRAZIE,
RUMIKO...
ASUKA!

... AVER TRASPORTATO I FIANCHI DI HARUKA NON SERVÌ A PORTARE LA PACE NEL GRUPPO.

IN PARTICOLARE, I TRE MASCHI ERANO MOLTO TESI.

... E IL TEMPO CHISSÀ QUANDO AVREBBE RICOMINCIATO A SCORRERE...

SE AVESSERO CONTINUATO COSÌ, INVECE DI COLLABORARE, SI SAREBBERO PESTATI I PIEDI A VICENDA...

EHI.

ALMENO NOI DOVEVAMO ANDARE D'ACCORDO.

FRA POCO È L'UNA, HARUKA STA PER ARRIVARE.

VOI DUE CHE FATE OGGI?

QUINDI, FACCIAMO DA SOLE, CHE NE DITE?

NON POSSIAMO CONTARE SU DI LORO...

IN CHE SENSO "CHE FACCIAMO"?

I MASCHI NON VENGONO NEMMENO PER PARLARE...

UCCI-
DIAMO
HARUKA.

MAH!
CHISSÀ
SE QUELLO
L'HA FATTO
SUL SE-
RIO!

MA
SHOTA
L'HA FATTO
"IERI" E
NON HA
FUNZIO-
NATO...

!

HA-
RU-
KA...

HAI UN
MINUTO?

EHI,
RUMIKO...
DOVE...

È
MEGLIO
SE STAI
ZITTA.

RUMIKO, MA NON VORRAI...

SIAMO SUL TERRAZZO...

CAZZO...

LA DEVI FINIRE!

HARUKA! PER COLPA TUA, OGNI GIORNO È TERRIBILE!

PERCHÉ SOLO A NOI? CHIEDILO ANCHE AGLI ALTRI!

PER COLPA TUA SONO STATA UCCISA TRE VOLTE DA QUEL MOSTRO!

SBAM

GRAB

DI' QUALCOSA! O SAI DIRE SOLO "CERCA IL MIO CORPO"?!

CI DICI SOLO QUESTO E POI CONTINUI A IGNORARCI, EH?!

CI PRENDI IN GIRO...

!

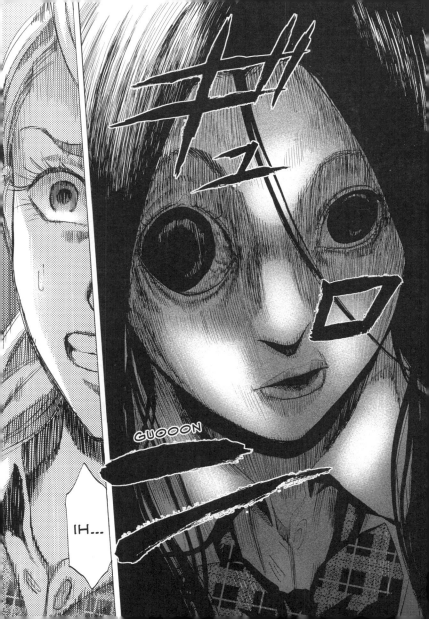

CO...

STUNK

COM'È SUC-CES-SO?!

COME HA FATTO A ROMPERSI, LA RINGHIERA?

SEMBRA CHE SIA STATA TA-GLIATA...

MA...

HA... HARU-KA?!

ASUKA... HARU- KA?

SBAM

BASTA...

FORSE HA FUN- ZIONA- TO...

AH... AH! AH! AH!

EEEH?

EHI...

?!

NON VO- GLIO PIÙ VEDERE NULLA.

BLOTCH BLOTCH

ZAN

QUALUN-
QUE COSA
FACCIAMO,
È INUTI-
LE...

NON È
POSSI-
BILE...

◆ NON CI SI PUÒ RIFIUTARE DI CERCARE IL CORPO.

CER-
CATE...

EHI...

CAPITOLO 13
QUARTO GIORNO - 2

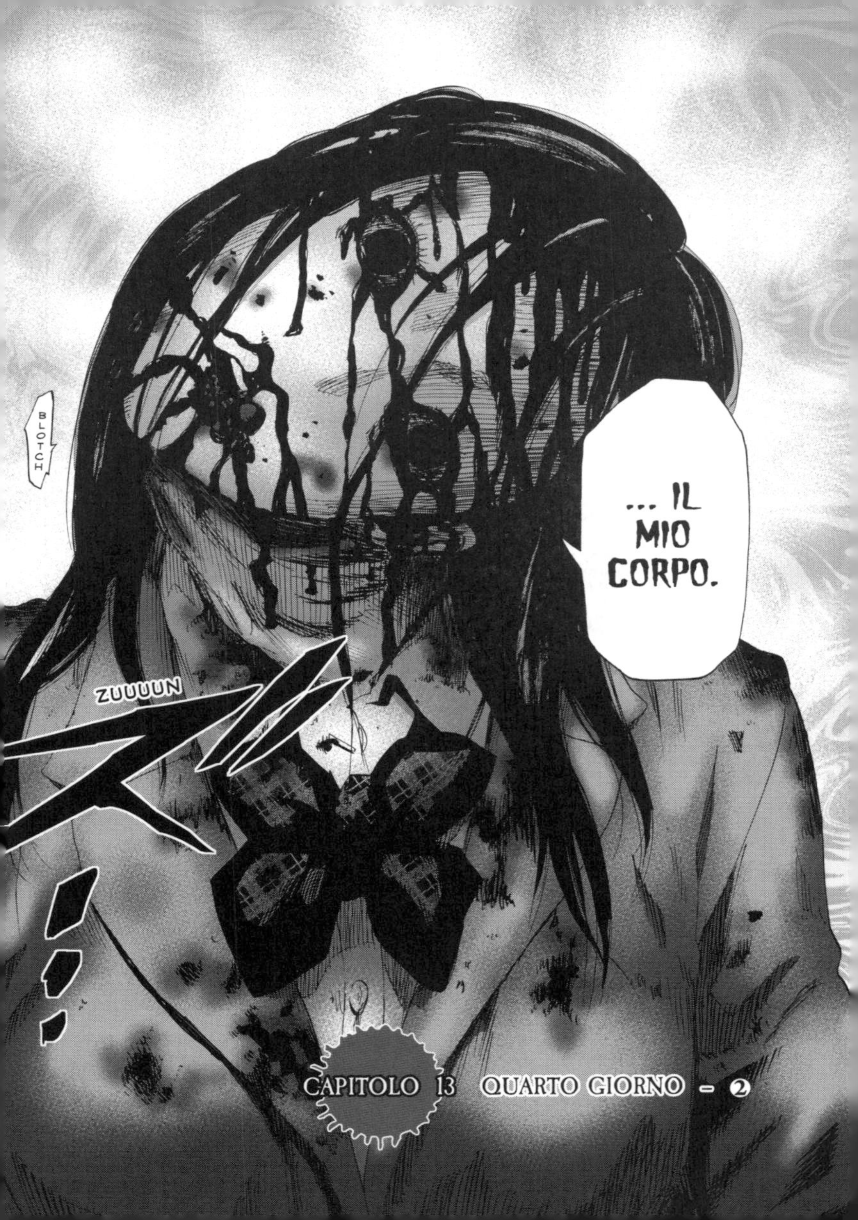
BLOTCH
... IL MIO CORPO.
ZUUUUN
CAPITOLO 13 QUARTO GIORNO – 2

... QUINDI VOI AN-DATE DA QUALCHE ALTRA PARTE!

EHI, NOI CERCHE-REMO IN PALE-STRA...

ZUNN

I RA-GAZZI... SONO TUTTI VOLTATI IN DIREZIONI DIVER-SE...

!

KEN-JI?

DOOON

UFF...

DOOON

NON VENITE DA ME, NEANCHE SE VI INSEGUE LA BAMBINA IN ROSSO!

FATE COME VI PARE. IO VADO A CERCARE AL POLITECNICO.

...

VISTO CHE È GRANDE, ANCHE SE SIAMO IN TRE NON SAREMO TROPPE!

BOH! ANDIAMO IN PALESTRA!

E GLI ALTRI DUE?

AH, È VERO...

A PROPOSITO, C'È UN'ALTRA STORIA DI FANTASMI AMBIENTATA IN PALESTRA!

LO SPIRITO DELLO STUDENTE SENZA TESTA DEL CLUB DI BASKET.

SI DICE CHE USI LA SUA TESTA AL POSTO DEL PALLONE!

DOOON

ゴ"

ゴ"

ゴ"

LA PORTA È PESANTISSIMA! DATEMI UNA MANO!

È STRANO... ANCHE SE STIAMO CERCANDO IL CORPO, NON HO PER NIENTE PAURA.

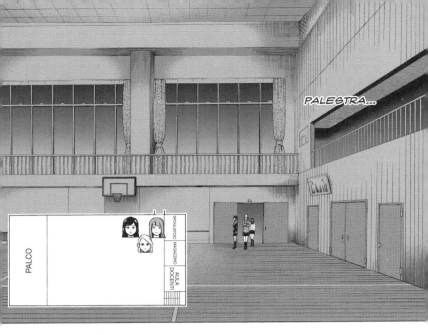

PALESTRA...

PALCO

SPOGLIATOI

MAGAZZINO

AULA DOCENTI

BE'...
IO E RIE
CERCHIAMO
NELLA AULE
DI SOTTO.

EHM...
OKAY.

ASUKA,
TU VAI AL
SECONDO
PIANO.

WAH... LA
PALESTRA
DI NOTTE
È UN PO'
INQUIE-
TANTE...

G...
GIÀ.

AULA DOCENTI

CLANK

CHI È?

RUMIKO? ASUKA?

HO QUASI FINITO...

SEM-BRAVA ANCHE CHE STESSE MALE.

FORSE KENJI VO-LEVA CER-CARE IN-SIEME A NOI...

QUINDI, SARÀ SHOTA O KENJI.

LA FIGURA DI PRIMA... NON PUÒ ESSERE TAKAHI-RO...

OPPURE, PEGGIO... VISTO CHE IL RAP-PORTO TRA RUMIKO E SHOTA STA CROLLAN-DO...

... FORSE SHOTA È VENUTO PER OSTA-COLARE RUMIKO.

MMH!

MMH!

?!

MA NON CRE-DO SIA POSSI-BILE...

!

EH?!

MMH... MMH!

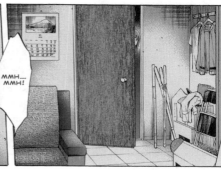

SBAM

COSA STAI FACENDO?!

MMH!

!

RIE...

MMH!

UUH...

MMH!

◆ LO STUDENTE UCCISO DALLA BAMBINA IN ROSSO, IL GIORNO DOPO COMPARE DAVANTI A TUTTI E CHIEDE DI CERCARE IL SUO CORPO.

SBAM

?

ASU-KA?

RU-MIKO, VIENI!

RU-MI-KO!

BAM

IN-SOM-MA!

AH?!

BAM

COS'HAI DA STRIL-LARE?

BAM

UUH...
UH...

LA-
SCIA-
LAAA!

BAM

CAPITOLO 14   QUARTO GIORNO — 3

BA-
STE-
REBBE
CHE TI
ALLON-
TANAS-
SI DA
LEI!

AIUTA-
TEMI...

NON MI
IMPORTA
DI QUELLO
CHE MI
FATE...

DASH

ASU-KA, SPO-STA-TI!

!

ASUKA, AIU-TAMI... AIUTA-MI!

UUUH...

BAM

COSA CAZZO STAI FA-CENDO, KENJI?!

STONF

EHI!

UGH!

KICK

UH...

LA BAMBINA IN ROSSO È APPARSA AL TERZO PIANO DELL'EDIFICIO OVEST.

SI PREGA DI FARE ATTENZIONE.

NON TI SFORZARE! LA BAMBINA IN ROSSO È LONTANA, RIPOSATI UN PO'!

GRA-ZIE... A TUTTE E DUE... STO BENE.

AL TERZO PIANO DELL'EDI-FICIO OVEST...

...

PUÒ DARSI, MA È QUAL-COS'AL-TRO CHE MI PREOC-CUPA...

CERTO! KENJI POTREB-BE TOR-NARE...

ASUKA, IO CONTINUO A CERCARE, TU RI-MANI CON RIE.

SÌ... PERÒ, POI CI MUOVIAMO INSIEME.

... È UNA COSA PIÙ PROBABILE DI KENJI CHE AGGREDISCE RIE!

LA POSSIBILITÀ CHE SHOTA STIA PUNTANDO RUMIKO...

È DIFFICILE PENSARE CHE POSSA FARE QUALCOSA, MA NON POSSO DIRE DI ESSERE SICURA AL CENTO PER CENTO.

DAAAN

RONF! RONF!

TAKAHIRO...

CI STAVO PENSANDO PRIMA...

A PROPOSITO...

PER IL MOMENTO, NON RESTA ALTRO DA FARE CHE STARE INSIEME SOLO NOI DONNE.

IN QUESTA STANZA NON C'È NULLA.

OGNI VOLTA, ERAVAMO PRESI DA ALTRE COSE E NON CE NE SIAMO ACCORTI, MA...

IN EFFETTI...

!

CIOÈ, CI FA SAPERE LA POSIZIONE DELLA BAMBINA IN ROSSO...

OPPURE VUOLE MANOVRARCI?

CHI SARÀ A FARE...

... GLI ANNUNCI ALL'ALTOPARLANTE?

KRRRRR

NON CI AVEVO PENSATO.

HAI... HAI RAGIONE! L'HO SEMPRE PENSATO COME UN AIUTO, VISTO CHE CI METTEVA A CONOSCENZA DEI PUNTI PERICOLOSI, MA...

LA BAMBINA IN ROSSO È APPARSA ALL'INGRESSO PER GLI STUDENTI.

!

SI PREGA DI FARE ATTENZIONE.

AH...

È VICINA!

LA PORTA DELLA PALESTRA È SPALANCATA!

SE LA BAMBINA IN ROSSO È QUI, POTREBBE NOTARLA!

DASH

RUMIKO, MI SA CHE SIAMO NEI GUAI!

RIE, RIESCI AD ALZARTI?!

EH?

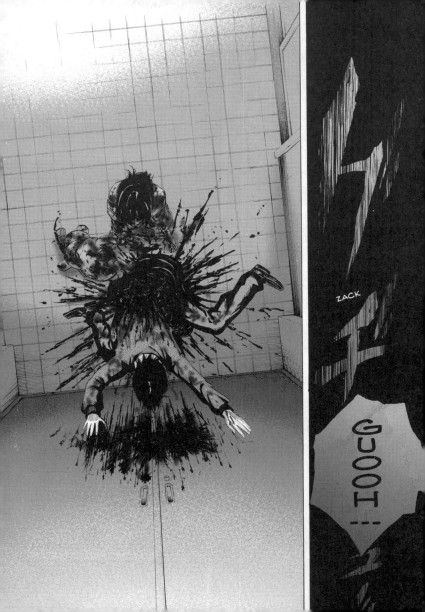

QUINDI, AL DI LÀ DI QUESTA PORTA C'È...

KENJI... È MORTO.

... LA BAMBINA IN ROSSO!

◆ LA BAMBINA IN ROSSO COMPARE
ANCHE DURANTE LA RICERCA.

HA APERTO COSÌ FACILMENTE QUELLA PORTA...

NON DEVI VOLTARTI!

QUESTO RUMORE... HA APERTO LA PORTA, ASUKA!

KYAAAAH!

...CHE IO E RUMIKO ABBIAMO DOVUTO APRIRE IN DUE!

E TU?

NON VI PREOC- CUPATE PER ME, SVELTE!

CO- SA?!

RIE, RUMIKO, NASCON- DETEVI NEL MA- GAZZINO!

IL RUMO- RE DEI PASSI È VELOCIS- SIMO!

DAI, RIE!

ASU- KA...

AGH!

STONF

?!

NON VOGLIO ANDARE INCON- TRO ALLA BAMBINA IN ROS- SO!

SE FAC- CIO COSÌ, ALMENO POSSO...

MI HA PRESA.

AH--- GWAH---

HO PIC- CHIATO IL PETTO E ORA NON RIESCO A RESPIRA- RE...

AUH---

ZIIL IL IL

FRUSH

GRAB

AH...

LA CAN-ZONE!

UN VESTITO ROSSO VORREI...

UN ALTRO MODO È...

...UCCIDE LA VITTIMA DISTRUG-CENDOLA E FACENDO-LA A PEZZI COME SE FOSSE UN INSETTO.

QUANDO COM-PARE DAVAN-TI AGLI OCCHI DI CHI SI È VOLTA-TO...

LA BAM-BINA IN ROSSO PUÒ UC-CIDERE IN DUE MODI.

... STRITOLANDOLA E SPACCANDOLA A METÀ.

... QUANDO FINISCE LA CANZONE, UCCIDE LA VITTIMA A CUI SI È AGGRAPPATA...

DI ROSSO, DI ROSSO TINGI...

SHOTA LO AVEVA DETTO...

"LA BAMBINA IN ROSSO SI È AGGRAPPATA A ME UN SACCO DI VOLTE!

ANF

ANF

... E IN PIÙ, NON DEVO GUARDARLA!

AAAH...

SE FUNZIONA, È L'UNICO MODO PER SALVARMI...

QUINDI, FORSE RIESCO A STACCARMELA DI DOSSO!

LA FACCIA, LE MANI... DI ROSSO TUTTO TINGI...

GRAB

FSHUN

UH...
UH...!!!

FSHUN

È
SCI-
VOLO-
SA...

... PER
VIA DEL
SAN-
GUE!

FSHUN

!

FSHUN

LA
CAN-
ZONE...
LA
PROS-
SIMA
SARÀ
L'ULTIMA
STRO-
FA...

QUANTE
VOLTE
DEVI
UCCI-
DERCI
PER
ESSERE
SODDI-
SFAT-
TA?!

LA
SCHIENA
DI SPORCIZIA
TUTTA PIENA...
IO LA TROVE-
RÒ E ROSSO
A FIUMI NE
ESTRARRÒ!

STA...
STAC-
CATI!

NON CI
RIESCO!
HO TROP-
PA POCA
FORZA PER
POTERLA
ALLONTA-
NARE DA
ME!

È
INUTILE
GRIDA-
RE...

SONO SALVA...

ASU-KA?!

UH ---

UUH ---

!

PEN-SAVO DI STARE PER MO-RIRE...

SCU-SA... PERÒ, IO...

NO, CHE NON STAI BENE... HAI FATTO UNA COSA ASSURDA!

STAI... STAI BENE?

SÌ... SONO ANCHE RIUSCITA A NON GUAR-DARLA...

... NON VOLEVO CHE VI UCCIDESSE!

UUH...

LA BAMBINA IN ROSSO È SCOMPARSA DALLA MIA SCHIENA UN MOMENTO PRIMA DI FINIRE LA CANZONE. QUESTO VUOL DIRE...

COMUNQUE, VISTO CHE CI SIAMO, ANDIAMO A CERCARE NEL MAGAZZINO?

HA RAGIONE RIE! HAI FATTO LA PRECIPITOSA E ADESSO HAI LE GAMBE E LE MUTANDE TUTTE SPORCHE DI SANGUE!

E DAI... STAVO PER MORIRE!

... PROBA-BILMENTE È SHOTA QUELLO CHE È MORTO.

TAKAHIRO HA DET-TO CHE SAREBBE ANDATO AL POLI-TECNICO, QUINDI...

... CHE QUAL-CUNO SI È VOLTATO INDIE-TRO.

ANCHE SE LA BAMBINA IN ROSSO STA INSEGUENDO QUALCUNO, ANDRÀ COMUNQUE SUBITO DALLA PERSONA CHE SI È VOLTATA INDIETRO.

HA UN ORDI-NE DI PRIORI-TÀ?

DA QUEL-LO CHE È SUCCESSO, HO POTUTO DEDURRE UN'ALTRA REGOLA...

LA BAM-BINA IN ROS-SO...

KRRR

!

COMUN-QUE, IL CORPO NON C'È...

A PARTE LA PA-LESTRA, DOVE ALTRO POTREB-BE ES-SERE?

CI SONO ALTRI POSTI VALIDI! LA TRIBUNA E IL MAGAZZINO AL PIANO DI SOTTO... E ANCHE IL PALCO.

CAPI-SCO...

... È APPARSA SUL TERRAZZO DELL'EDIFICIO OVEST.

SUL TERRAZZO?!

SI PREGA DI FARE ATTENZIONE.

QUESTO VUOL DIRE...

MA È FUORI DALL'EDIFICIO... PUÒ USCIRE SUL TERRAZZO?!

AH, È VERO.

MA NON SI PUÒ USCIRE DAL CANCELLO, RUMIKO.

PERÒ... SE RIUSCISSIMO A SCENDERE, CI SAREBBE UN ALTRO POSTO DOVE CERCARE...

... CHE ANCHE SUL TERRAZZO POTREBBE ESSERCI IL CORPO?

MAGARI, CON UNA CORDA O QUALCOSA DEL GENERE, POSSIAMO USCIRE!

PARLO DELLA COSTRU-ZIONE CHE SI TROVA AL DI FUORI DELLA SCUOLA.

IL VEC-CHIO EDIFI-CIO.

!

CO-MUNQUE, ADESSO FINIAMO CON LA PALE-STRA.

GIÀ...

TUTTAVIA... NON È DET-TO CHE CI SIA QUAL-COSA E CHE RIUSCIAMO A ENTRARE...

PRIMA DOBBIAMO PASSARE L'INTERNO DELL'EDI-FICIO E IL TERRAZZO.

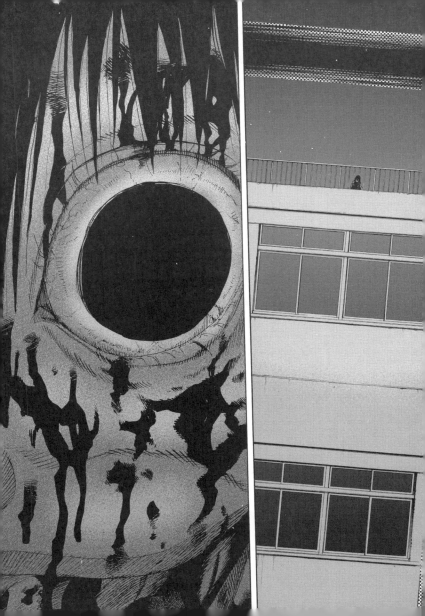

◆ CHI VEDE LA BAMBINA IN ROSSO, NON DEVE ASSOLUTAMENTE VOLTARSI FINCHÉ NON ESCE DAL CANCELLO DELLA SCUOLA.

IN ONDA

CAPITOLO 16 QUARTO GIORNO – 5

PER-
CHÉ
L'HAI
FATTO...

KEN-
JI!

MA
LA CO-
SA PIÙ
IMPOR-
TANTE
ADES-
SO È...

NON POSSO TORNARE INDIETRO.

HO PAURA!

PERÒ, DOVREBBE ESSERCI ANCORA UN PO' DI DISTANZA TRA ME E LEI.

LA TERRÒ OCCUPATA!

!

ABBASTANZA DA PERMETTERMI DI CERCARE LA SALA DELL'ALTOPARLANTE...

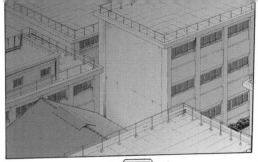

LA BAM-
BINA
IN
ROS-
SO...

!

MA CHE CAZZO È SUCCESSO?

ASUKA...

RUMIKO! COME FA A SAPERE IL NOME DI ASUKA?!

E COME FACCIO A SAPERLO?!

IN O

LA PERSONA CHE STA LÌ DENTRO AVRÀ CHIAMATO LA BAMBINA IN ROSSO...

ANF

MI HA CHIAMATO PER NOME ...

ANF

AL-LORA, ALLA FINE...

... PERCHÉ STAVO PER ENTRA-RE?

I CAPELLI, LE GAMBE... DI ROSSO TUTTO TINGI...

PULL

AAAH!

MORIRE DOPO AVER GUARDATO NELLA SALA DELL'ALTOPARLANTE!

GNEEK

IN ONDA

...C'È DAVVERO QUALCUNO LÌ DENTRO!

NON RIESCO A STACCARMELA DI DOSSO CON LE MIE FORZE E RIMANE POCO TEMPO PRIMA CHE LA CANZONE FINISCA.

IL CORPO SMEMBREREI E DI ROSSO MI COPRIREI...

QUINDI, C'È SOLO UNA COSA DA FARE.

CATCH

C'È...

SBAM

!

GRIP

C'È QUAL-CUNO!

LA CAN-ZONE STA FI-NENDO. ORMAI...

... STO PER MORI-RE.

CHI È?! C'È QUALCUNO, VERO?!

UGH

NE SONO SICU-RA!

UGH

UGH

... IO LA TROVERÒ E ROSSO A FIUMI NE ESTRAR-RÒ!

LA SCHIENA DI SPOR-CIZIA TUTTA PIENA...

◆ ANCHE SE DURANTE LA RICERCA
PERDI LA VITA, NON MUORI.

... LI HO GIÀ VISTI DA QUALCHE PARTE.

FORSE ERANO QUELLI DI HARUKA? OPPURE... DI CHI ALTRO?

QUEGLI OCCHI CHE MI SPIAVANO DALLA SALA DELL'ALTOPARLANTE...

È MATTINA...

ANCHE SE TORNI, IL DOLORE RIMANE...

!

SIAMO TORNATI TUTTI A "IERI".

AHI...

STAND

CAPITOLO 17 QUINTO GIORNO - 1

EH?

LA POSIZIONE DEL CELLULARE È CAMBIATA!

NON È NEMMENO IN CARICA...

CLANK

SULLO SCHERMO DEL CELLULARE, È ANCORA IL 9 NOVEMBRE.

CHE STRANO...

!

YO...

TAKAHIRO?

CHE CI FAI QUI?

NO, È CHE... IERI LA VOCE DELL'ALTOPARLANTE TI HA CHIAMATO PER NOME...

E QUINDI... CIOÈ...

... MENTRE ANDAVAMO A SCUOLA INSIEME A RUMIKO E RIE...

... CI FU UN ALTRO CAMBIAMENTO.

TAKAHIRO ERA PREOCCUPATO E VENNE A PRENDERMI... INOLTRE...

GRAZIE... STO BENE, ANCHE SE SONO MORTA.

CHE?! TAKAHIRO?

BUONGIORNO, ASUKA.

CHE DISCORSI!

EH?
QUESTO
GATTO...

WAH...

FRUSH
スリ...

MIAOOO!

AL GAT-
TO, CHE
AVREBBE
DOVUTO
ESSERE
INVESTITO
DALLA MAC-
CHINA, NON
ACCADDE
NULLA.

?

... CI RIU-
NIMMO PER
SCAMBIARCI
LE NOTIZIE,
TUTTI TRANNE
KENJI CHE
NON SI PRE-
SENTÒ.

QUEI
PICCOLI
CAMBIA-
MENTI CI
METTEVANO
A DISAGIO.
POI...

ANCHE
A SCUOLA,
GLI OG-
GETTI E LE
PERSONE
AVEVANO
CAMBIATO
POSIZIONE.

OKAY! ANCHE NOI ABBIAMO QUALCHE NOTIZIA!

MA NON AVEVI DETTO CHE NON C'ERA NIENTE?

LA SALA DELL'ALTOPARLANTE...

SE LÌ CI FOSSE UN PEZZO DEL CORPO, POTREMMO ANDARE A CERCARE, NO?

L'AVETE TROVATO IN PALESTRA... EVVIVA!

È STATO GRAZIE A TE CHE HAI TENUTO LONTANA LA BAMBINA IN ROSSO!

NE RIMANGONO CINQUE.

IN PALESTRA ABBIAMO TROVATO UN PEZZO DEL CORPO.

LA PARTE DESTRA DEL BUSTO.

C'È UN'ALTRA COSA...

RIE È STATA AGGREDITA DA KENJI.

CERTO! SI È MESSO A CAVALCIONI SU DI LEI E LE HA SCOPERTO IL REGGISENO! È STATO VERAMENTE UNO STRONZO!

DICI SUL SERIO?!

CHE?! COSA VUOI DIRE?

...

COSÌ LA PROSSIMA VOLTA, PUOI OFFRIRE LUI COME VITTIMA SACRIFICALE?

E PERCHÉ DICI COSÌ?

AH?

COMUNQUE, È IMPERDONABILE.

MA A CHE STAVA PENSANDO QUEL DEFICIENTE?

TU SAI SOLO CRITICARE GLI ALTRI, EH?

CHE CAZZO VUOI, SHOTA!

NON È IL MOMENTO DI PARLARE DI QUESTO!

ASUKA, MA LUI...

SMETTETELA!

PROVA A RIPETERLO, BASTARDO!

UNA NOSTRA AMICA È STATA AGGREDITA! LE È STATO FATTO QUALCOSA DI TERRIBILE!

PERCHÉ NON RIUSCITE A PENSARE AI SUOI SENTIMENTI?!

GRAB

RUB RUB

ASU-KA...

!

SOB

È VERO... SCUSA.

EH?

TANTO, LE LEZIO-NI SONO SEMPRE LE STESSE!

MARINIA-MO LA SCUOLA, È OVVIO!

ASUKA, RIE, AN-DIAMO!

AAAH, NE AB-BIAMO ABBA-STANZA DI VOI RAGAZZI!

DOVE ANDA-TE?

ASUKA, GRAZIE.

CHE STRANO... L'INFERRIATA ERA CROLLATA ALL'IMPROVVISO...

CHE BELLA SENSAZIONE!

MI SENTO LIBERA!

È LA PRIMA VOLTA CHE SALTO LE LEZIONI!

EHI ...

RIE ...

LA PROSSIMA VOLTA TI OFFRO QUALCOSA!

CONTINUI AD AIUTARMI NONOSTANTE QUESTA SITUAZIONE...

SONO STATA MOLTO FELICE, PRIMA.

!

GUAR-
DATE
LÌ.

IL
VEC-
CHIO
EDIFI-
CIO!

NON CI
AVEVO MAI
PENSATO
FINORA,
MA...

ADESSO
LO USANO
PER FARE
PRATICA DI
AGRARIA.

IO NON CI
SONO MAI
ENTRATA.

SE RIU-
SCISSIMO
A USCIRE,
ANCHE
QUELLO
SAREBBE
UN POSTO
DOVE CER-
CARE,
NO?

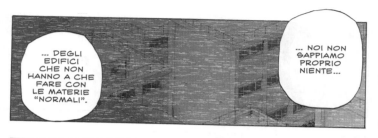

... DEGLI EDIFICI CHE NON HANNO A CHE FARE CON LE MATERIE "NORMALI".

... NOI NON SAPPIAMO PROPRIO NIENTE...

CO-MUNQUE, PERCHÉ NON ANDIAMO A DARE UN'OC-CHIATA...

LÌ CI È ANDATO TAKAHIRO, NO?

ANCHE IL POLI-TECNICO, NON LO CONO-SCIAMO AFFATTO.

UH...

... AL VECCHIO EDIFI-CIO?

HA LA STESSA ATMO-SFERA...

MI IN-QUIETA UN PO'.

CHE ARRE-DA-MENTO VEC-CHIO...

È PRO-PRIO PROVIN-CIALE!

... DELLA SCUOLA DI NOTTE.

ZUUUN

AH... È CHIUSA A CHIA-VE...

AH! GUAR-DATE, QUESTA STANZA È PIENA DI FIO-RI!

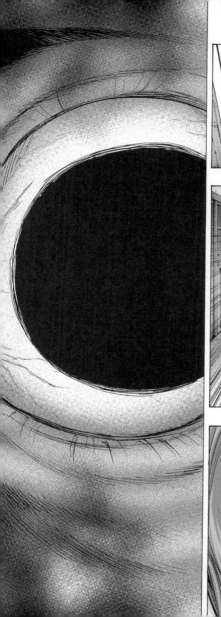

AN-DIAMO ALLA PROS-SIMA?

!

KYAAAH!

RU-MI... KO?

GASP

!

CHI
È?

QUE-
GLI
OC-
CHI...

?!

EHI...
PERCHÉ
STRILLATE
MENTRE MI
GUARDA-
TE?

ZUUUN

ZAN

VOI, PIUTTO-STO, COSA CI FATE QUI DURANTE LE LEZIONI?

VOI PERÒ NON SIETE MIE STUDEN-TESSE.

SONO TOMOKAZU YASHIRO, DI AGRA-RIA.

LEI È... UN PRO-FESSO-RE?

È DIVENTATA UNA SERRA!

WAH... SEMBRA DI STARE IN UN ORTO BOTANICO!

CLANK

... INTANTO VORREI SAPERE PER QUALE MOTIVO AVETE MARINATO LA LEZIONE.

IN REALTÀ, DOVREI RIPORTARVI IN CLASSE, MA...

NON TOCCARLO! CI SONO ANCHE FIORI MOLTO DELICATI.

AH... EHM... PROF YASHIRO, LEI CONOSCE UNA COSA CHIAMATA "RICERCA DEL CORPO"?

A DIFFERENZA DEGLI OCCHI CHE HO VISTO, QUESTI SEMBRANO PIÙ DOLCI.

CHE PAURA!

BLINK

LA RICERCA DEL CORPO?

SE QUALCUNO RIMANE DA SOLO DOPO LE LEZIONI, VIENE LA BAMBINA IN ROSSO... È QUELLA STORIA DI FANTASMI, NO?

C'ERA ANCHE QUANDO ERO UNO STUDENTE DI QUESTA SCUOLA.

... NON CI SI DEVE ASSOLUTAMENTE VOLTARE, FINCHÉ NON SI ESCE DAL CANCELLO DELLA SCUOLA.

SE SI GUARDA LA BAMBINA IN ROSSO...

POI...

CHE FACCIAMO? ANCHE SE GLI ABBIAMO DETTO LA VERITÀ, NON CI CREDE...

ZUN

?!

MA...
MALEDI-
ZIONI?

... DA MALE-
DIZIONI
COME "LA
RICERCA
DEL COR-
PO".

NON
BISOGNA
FARSI
COINVOL-
GERE...

P...
PROFESSO-
RE? NOI NON
ABBIAMO MAI
PARLATO DI
"MALEDIZIO-
NE"...

DI CHE
STA PAR-
LANDO?!

QUESTO
PRO-
FESSO-
RE...

!

BLINK

... SA
QUAL-
COSA!

RE/MEMBER 2 (FINE)

KARADASAGASHI
© 2014 by Welzard, Katsutoshi Murase
All rights reserved.
First published in Japan in 2014 by SHUEISHA Inc., Tokyo.
Italian translation rights in Italy,
Vatican City, San Marino and Italian-speaking Switzerland arranged by
SHUEISHA Inc. through VIZ Media Europe, SARL, France.

Storia: WELZARD
Disegni: Katsutoshi Murase
Traduzione: Carlotta Spiga
Editing: Valentina Ghidini
Lettering: VIBRRAANT IT
Stampa: Grafiche Ambert, Verolengo, (TO)

Edizioni BD srl
via Moncucco 20/22
20142 Milano
www.edizionibd.it www.j-pop.it www.gpmanga.it
info@edizionibd.it ciao@gpmanga.it

ISBN: 9788868836207